Llinynnau

Golygydd y gyfres: Zac Davies

JAN

MAIR WYNN HUGHES

DREF WEN

Comisiynwyd gyda chymorth ariannol
Awdurdod Cymwysterau, Cwricwlwm ac Asesu Cymru.

Cyhoeddwyd gan Wasg y Dref Wen,
28 Ffordd yr Eglwys,
Yr Eglwys Newydd, Caerdydd CF4 2EA
Ffôn 01222 617860.

Argraffwyd ym Mhrydain.

Llinynnau

Golygydd y gyfres: Zac Davies

Y Prif Gymeriadau

Jan Merch 16 oed. Mae hi'n cael gwaith mewn siop ddillad ac mewn cartref henoed ar ôl gorffen arholiadau TGAU.

Edwin Bachgen mae Jan yn ei ffansïo

Geraint "Y bachgen drws nesaf," 16 oed. Mae'n ffansïo Jan.

Glenda Chwaer fawr Jan

Gwyn Cariad Glenda

Jaci Ffrind Jan yn y siop. Mae hi'n mynd â hi i'r dafarn.

Mari a Wendy Ffrindiau Jan o'r ysgol

Miss Thomas Rheolwraig y siop

Mr Rees Rheolwr y cartref henoed

Stan Jones Hen ŵr sy'n pinsio pen ôl Jan

Tecs Bachgen arall mae Jan yn ei ffansïo

Victor Brawd mawr Jan

1.

Hwrê! Mae swydd dydd Sadwrn gen i! Yn siop ddillad Cresta yn y dre. Arian yn fy mhoced! A siawns am swydd rhan amser ar ôl gadael yr ysgol mis nesa.

Faswn i ddim yn *dewis* job mewn siop ddillad. Ond bydd unrhyw beth yn well na bod ar y dôl. Fy uchelgais i, un tro, oedd bod yn seren ar y teledu. Ond rhaid i mi wynebu realiti – does gen i ddim talent at ddim. "Pe baset ti'n gwrando yn lle siarad baset ti ar y ffordd i'r chweched dosbarth," dywedodd Mam.

Dyna ddywedodd Mam ar ôl i mi gwyno am y mwg sigaréts yn ein tŷ ni. Dywedais i am y cannoedd o bobl sydd ddim yn smygu ond sy'n cael cancr achos bod pobl o'u cwmpas nhw yn smygu.

Ond does neb yn gwrando yn ein tŷ ni. Mae Mam a Dad a Glenda yn rhoi cannoedd o bunnau i'r cwmnïau baco bob blwyddyn. Ond mae Victor yn deall. Dydy Vic byth yn ysmygu. Mae o'n cytuno â mi.

"Mae mwg baco'n beryglus," dywedais. Ond roedd Dad yn darllen y tudalen rasio. Ac roedd Glenda'n peintio farnais coch ar ei hewinedd.

"Ga i fenthyg y farnais?" (Fi'n gofyn yn obeithiol.)

Wedi'r cyfan rydw i eisiau bod yn smart i weithio mewn siop ddillad. Dyna ddywedodd rheolwraig y siop. Roedd farnais coch ar ei hewinedd hi hefyd. Ewinedd hir, coch. Rydw i'n cnoi f'ewinedd i, dyna biti.

"Paid â *meddwl* am fenthyca fy farnais," gwaeddodd Glenda.

Wn i ddim be ydy'r pwynt cael chwaer, dydw i ddim yn

cael benthyca teits na blows na dim byd.

"Mae 'na siopau yn y dre," meddai Glenda. "Beth am *brynu* farnais? Rydw i wedi talu lot o arian am y farnais yma – OK?"

Wel, cyn bo hir bydda i'n prynu llawer o bethau. Ar ôl dechrau gweithio, bydda i'n siopa bob wythnos.

Bore Sadwrn. Y bore cyntaf yn y swydd newydd. Roeddwn i'n nerfus. Yn rhedeg i'r gegin, bwyta tost. Mynd i'r toiled (eto).

"Eistedd i lawr." meddai Mam yn gas. "Gorffen dy frecwast. Rwyt ti fel io-io."

Dydy Mam ddim yn berson neis yn y bore. Ar ôl bod allan yn y Travellers Arms hefo Dad. A mynd i dŷ ffrindiau wedyn i gael diod fach arall. Roedd pen tost gyda hi wrth gwrs! Dydy Mam ddim yn esiampl dda i ni'r plant.

"Y bws!" gwaeddais am hanner awr wedi wyth. A fi heb golur ar fy wyneb eto!

"Beth am godi'n gynnar fel Glenda a Victor?" dywedodd Mam.

Dim gair caredig oddi wrth Mam. Caeais y drws a rhedeg fel ffŵl i ddal y bws. Dim ond jyst cyrraedd y siop cyn chwarter i naw.

"Da iawn. Rydych chi'n gynnar," dywedodd Miss Thomas y rheolwraig. "Sefwch wrth y drws y bore 'ma, a gwylio pobl yn y siop. Efallai byddwch chi'n dal lleidr."

Edrychais arni mewn sioc. Fi! I sefyll wrth y drws a thrio dal lleidr! Nid un lleidr, efallai, ond giang fawr yn rhedeg am y drws a fi'n sefyll yno ac yn trio cau'r drws mewn panic.

"Ond, os bydda i'n gweld lleidr … beth …?"

"Dim problem o gwbl," atebodd Miss Thomas. "Nodia dy ben."

Roeddwn yn nerfus wrth gerdded at y drws.

"Paid â phoeni," dywedodd un o'r merched eraill. "Mae tair ohonon ni'n gweithio heddiw."

"Ie, ond beth os gwela i giang?"

Roedd y ferch arall yn gwenu nawr ac yn rhoi'r dillad ar y stand.

Nid gwaith hawdd oedd jyst sefyll a sbio ar bobl. Ar ôl hanner awr roedd fy nghoesau i fel jeli. Roedd fy nhraed yn teimlo'n wyth deg oed! Daeth dau neu dri chwsmer i mewn. Edrychais i arnyn nhw'n sbio ar y ffrogiau a'r siwmperi. Yna aethon nhw allan yn edrych yn ddiflas iawn. Wel, os oedden nhw'n ddiflas, roeddwn i hefyd. Edrychais ar y cloc. O na! Dim ond chwarter wedi naw o'r gloch!

"Heia, Jan!" Llais o'r tu ôl i mi.

Geraint drws nesa!

"Be wyt ti isio?" dywedais yn gas.

"Dim ond dweud hylo," atebodd.

"Wel, hylo a hwyl fawr," dywedais. "Does gen i ddim amser i siarad. Rydw i'n gweithio."

"Be? Yn sefyll yn fan'ma?" gofynnodd.

"Allan!" dywedais.

Mae Geraint yn mynd ar fy nerfau i! Mae o eisiau mynd allan efo fi. Does gen i ddim diddordeb. Swot ydy o. Swot efo pimpls!

"Chwarae teg," dywedodd Mam. "Mae pimpls gen ti, Jan, hefyd."

"Oes, ond dim cannoedd o bimpls mawr," atebais.

Mi rydw i'n meddwl am Geraint weithiau. Mae'n anodd byw hefo pimpls. Ond dydw i ddim isio fo fel cariad. Mae o fel brawd i mi. Rydw i'n breuddwydio am Tecs. Aros yn ei freichiau. Chwerthin. Ond dydy Tecs ddim yn edrych arna i. Rydw i'n teimlo weithiau fel sefyll o'i flaen o a gweiddi, "Dyma fi. Rwy'n dy garu." Ond does gen i ddim hyder i ddweud un gair. Rwy'n siŵr basai Tecs jyst yn chwerthin. Chwerthin fel Mari a Wendy pan ddywedais i, "Dwi'n ffansïo Tecs."

"Rwyt ti off dy ben," dywedodd Mari. "Mr Fi Fawr ydy o."

"Ond mae'n olygus," protestiais. "Gwallt melyn, llygaid glas – ac mae tatŵ ganddo. Rêl hync!"

"A dim byd yn ei ben," dywedodd Wendy.

Does dim pwynt cael dwy ffrind alluog fel Mari a Wendy, sy'n meddwl am goleg. Maen nhw'n pwyntio bys at bobl fel Tecs.

"Allan, rŵan," hisiais wrth Geraint a gwylio Miss Thomas ar yr un pryd. "Mae hi'n edrych!"

"Hi?" gofynnodd Geraint.

"Ie, hi, Miss Thomas, y rheolwraig."

"Wyt ti isio dod allan?"

"Dim heno, dim byth."

"Jan…"

Llais Miss Thomas.

Y sac i fi mae'n siŵr! "Allan, Geraint!" dywedais eto.

"Amser coffi rŵan," dywedodd Miss Thomas. "Ond dim ond chwarter awr."

Diolch am y seibiant. Eisteddais ar y gadair – wedi blino'n lân.

"Ffag?" gofynnodd un o'r merched.

"Dim diolch," atebais.

2.

Roeddwn i adre am chwech, wedi blino. Agorais ddrws y lolfa. Roedd Mam a Dad yn gwylio'r pêl-droed.

"Rydw i'n mynd i socian fy nhraed," dywedais a mynd i'r ystafell ymolchi.

"Glenda yn y bath!" gwaeddodd Mam.

"O na!" dywedais. Mae Glenda yn y bath am awr gyfan fel arfer. Yn enwedig os bydd hi'n mynd allan hefo Gwyn. Gwyn ydy'r cariad. Boi tew – roli poli o ddyn hefo Audi newydd a wats fawr, a'i *aftershave* fel cwmwl ar ôl iddo fynd allan o'r ystafell. Ond mae Glenda yn dwlu arno fo. Ac mae hi'n cytuno â fo bob tro.

"Ie, Gwyn ... Wrth gwrs, Gwyn ..."

Os bydd Glenda a Gwyn yn priodi, bydda i'n forwyn briodas a bydd siawns i mi gael bath!

Es i fyny'r llofft.

"Faint o amser eto?" gofynnais wrth ddrws yr ystafell ymolchi.

"Rydw i newydd fynd i mewn i'r bath," atebodd Glenda.

Es i i'r gegin i gael coffi. Mae pawb yn helpu'i hun yn ein tŷ ni ar nos Sadwrn. Mam a Dad yn bwyta yn y dafarn. Roeddwn i'n yfed y coffi pan ddaeth Victor i mewn.

"Coffi?" gofynnodd.

"Yn y jar," atebais. Rydw i'n gweithio yn Cresta – nid i frawd na chwaer.

"Ond mae olew ar fy nwylo."

"Ac ar dy ddillad," dywedais. "Dylet ti adael y dillad gwaith 'na yn y garej cyn dod adre."

"Mae isio golchi'r dillad yma," dywedodd Victor.

"Mae'n bryd i ti gael gwraig," dywedais – a meddyliais am dŷ hanner gwag. Dim brawd, dim chwaer, dim ond FI … a Mam a Dad wrth gwrs!

"Diwrnod da heddiw yn y siop?" holodd Victor, wrth eistedd wrth y bwrdd.

Wel mae rhywun wedi gofyn am fy job newydd, meddyliais.

Boi iawn ydy Victor, fy mrawd. Mae o'n dal ac yn colli ei wallt. Siarad am ddim ond beiciau modur, y garej a'r ceir. Dim diddordeb mewn merched.

"Ti'n mynd allan heno?" gofynnais. Roeddwn i'n gwybod yr ateb cyn gofyn y cwestiwn.

"Na, mae Tecs yn dod yma – problem hefo'r car."

"Ar nos Sadwrn?" gofynnais yn nerfus.

Tecs yn dod yma! Ar nos Sadwrn. Does dim cariad ganddo fe felly. Siawns i fi? Roeddwn i'n croesi fy mysedd.

"Dydy o ddim yn mynd i aros, jyst gadael y car."

Teimlais yn drist yn sydyn iawn. O wel, roeddwn i'n mynd allan hefyd. Hefo Mari a Wendy i'r dre. Yna i'r Clwb Ieuenctid. Ond beth oedd pwynt yfed cola a dawnsio yn y clwb a gwybod bod Tecs ar gael, heb gariad? A dydw i ddim yn hoffi mynd i dafarn – gormod o athrawon yn sbio arna i.

"Wedi gorffen!" gwaeddodd Glenda o'r ystafell ymolchi. Neidiais i fyny'r grisiau. Roeddwn i'n meddwl am Tecs yn cyrraedd yn ei gar a finnau'n barod i fynd allan.

Efallai, gyda lwc, byddai fo'n sylwi arna i.

Ar ôl y bath, agorais y persawr arbennig – anrheg pen-blwydd oddi wrth Wendy. Boddais fy hun yn y persawr. Beth i'w wisgo? Y trowsus du a'r top lliwgar – ie dyna ni! Mae gen i ben ôl siapus mewn trowsus. Tybed a fydd Tecs yn cytuno?

Rhedais i lawr y grisiau pan glywais sŵn y car. Roedd Victor wedi agor drws y garej. Roeddwn i'n gallu clywed llais Tecs. Es i ddim i mewn i'r garej. Dim gobaith cael sgwrs yn fan'na – gormod o sŵn injans ceir fel arfer. Arhosais yn yr ardd, a daeth y ddau allan.

"O, hylo," meddai Tecs, ond doedd o ddim yn edrych arna i.

"Wyt ti'n mynd i orffen y job yfory?" gofynnodd i Victor. "Rali'n dechrau am ddeg."

"Dim problem," dywedodd Victor. Roedd o'n hapus iawn o wybod fod oriau o waith yn y garej o'i flaen.

Doeddwn i ddim yn siŵr beth i'w wneud. Aros neu fynd? Stopiodd car o flaen y giât ffrynt.

"Tacsi," eglurodd Tecs. "Wela i ti."

Dechreuodd gerdded i lawr llwybr yr ardd. Roeddwn i'n sefyll ar y llwybr. Penderfynais gerdded o'i flaen o. Siawns i Tecs weld y pen ôl siapus yn y trowsus du newydd.

"Mynd allan heno?" holodd o.

"Ydw," atebais.

Oedd o'n mynd i rannu'r tacsi hefo fi?

"Isio lifft?" holodd yn sydyn.

Roedd fy mol yn crynu a 'nghoesau fel jeli.

"Plîs," gwichiais.

"OK … I'r tacsi 'te," ac agorodd Tecs y drws i mi.

Roedd Geraint yng ngardd drws nesa. Ond doedd gen i ddim llygaid i neb ond Tecs. Ar fy mhen fy hun gyda Tecs! Dyma fy siawns!

"Y dre yn iawn?" Tecs yn gofyn.

Nodiais fy mhen a thrio eistedd yn agos ato yn y sedd gefn.

"Faint ydy dy oed di?" gofynnodd Tecs.

"Deunaw," atebais. Mae'n hawdd dweud celwydd weithiau – er mwyn achos da, meddyliais. Am eiliad, roedd llygad Tecs ar fy mronnau. Roeddwn i'n cochi. Oedd diddordeb ganddo fo tybed? Ond roedd Tecs yn edrych allan drwy'r ffenest nawr. Cyn i mi drio dechrau sgwrs arall, roedd y tacsi ar y sgwâr ac roeddwn i'n dringo allan.

"Hwyl!" meddai Tecs a dechrau cerdded am y dafarn.

"Hwyl," atebais mewn llais bach isel.

Cyrhaeddodd Mari a Wendy, allan o wynt.

"Tecs oedd efo ti yn y tacsi?"

"Ie."

"Beth oeddet ti'n wneud yn rhannu tacsi efo Tecs?"

"Cael lifft," atebais.

"Lifft o ble?"

"Mae Victor yn gweithio ar ei gar o. Ces i lifft gyda Tecs i'r dre."

"Wel, dyna hunanol!" meddai Mair.

"Hunanol? … Y lifft?"

"Nage … cael Victor i weithio ar ei gar ar nos Sadwrn," eglurodd Mair.

"Ie, mae gen i biti dros Victor – amser i fwynhau, nid i

weithio yw nos Sadwrn," meddai Wendy.

Neidiais i ateb y merched. "Dydy Victor ddim yn mynd allan ar nos Sadwrn – mae Tecs yn gwybod hynny."

"OK 'te," dywedodd Mari. "Beth am fynd i Wimpy?"

"Iawn," dywedais ar unwaith. Doeddwn i ddim isio ffraeo hefo'r merched.

Doeddwn i ddim yn hapus iawn yn ystod tair wythnos ola'r tymor. Dyddiau diflas.

"Dyna biti," meddai Mari.

"Ie," dywedais, heb ddeall.

"Ni yn y chweched dosbarth ym mis Medi, a ti'n gweithio."

"Os bydda i'n cael gwaith llawn amser. Dydy Miss Thomas ddim wedi dweud eto, ond mae'r gwaith dydd Sadwrn yn iawn, ac mae Miss Thomas yn chwerthin weithiau."

"Ie," meddai Mari. "Dyna biti – dwyt ti ddim isio mynd i'r chweched na'r coleg."

"Ond byddwn ni'n cyfarfod weithiau," dywedais.

3.

"Job amser llawn cyn hir, gobeithio," meddai Dad pan ddywedais y newyddion.

"Ond, Dad, mae'n anodd cael job," dywedais. "Rydw i'n lwcus cael deuddeg awr o waith." Mae'n iawn i Dad siarad. Mae o'n gweithio ar safle adeiladu – brici da mae pawb yn dweud.

"Cofia roi arian i dy fam," meddai. "Rhywbeth tuag at y bwyd."

Doedd gen i ddim ateb. Roedd Victor a Glenda'n rhoi arian bob wythnos, ond roedden nhw'n ennill arian da.

"Iawn," dywedais.

Rydw i wedi setlo yn y siop erbyn hyn. Rydw i'n gwneud y te, pacio, sortio a gwneud yn siŵr does neb yn mynd â gormod o ddillad gyda nhw i'r stafell newid. "Sori, dim mwy na thri dilledyn i'r stafell newid – rheol y cwmni." Ond dydw i ddim wedi cael siawns i weithio ar y til eto. Rydw i'n dechrau meddwl yr hoffwn i redeg siop fy hun un diwrnod. Isio digon o hyder a digon o dafod (wel, mae Mam yn dweud). Ond mae gen i lot o amser sbâr. Dydy deuddeg awr ddim yn llenwi fy wythnos i. Ac mae gwrando ar Mari a Wendy yn siarad am yr arholiadau yn boen.

Mae Mam yn gwybod am swydd arall i mi. Yn y cartref henoed – ble mae Mam yn gweithio. "Dim ond dwy awr y dydd," meddai hi. "Ac mae'n bosibl gweithio unrhyw oriau – i ffitio i mewn i waith y siop."

"Does gen i ddim profiad hefo hen bobl," meddwn i. "Does gen i ddim taid na nain i ymarfer efo nhw."

"Cadw cwmni a siarad hefo'r bobl ydy'r gwaith," meddai Mam. "Rwyt ti'n gallu siarad digon. Beth am fynd i weld y rheolwr?"

Mr Rees oedd enw'r rheolwr. Dyn neis. "Beth am ddechrau y prynhawn yma?" meddai fo. "Jyst i weld os ydych chi'n setlo a licio'r gwaith."

Ces i sioc ar ôl cyrraedd y lolfa. Rhes o hen bobl yn gwylio'r teledu – ond roedden nhw'n hanner cysgu.

"Ydyn nhw'n sâl ofnadwy?" sibrydais.

"Maen nhw'n hoffi cwmni," meddai'r rheolwr. "Maen nhw isio rhywun i siarad, i chwerthin, i dynnu coes hefo nhw."

Roeddwn i'n mynd i ofyn i'r rheolwr pam doedd o ddim yn siarad a chwerthin hefo'r hen bobl, ond meddai fo: "Does dim amser gan staff i siarad hefo nhw. Staff bach iawn sydd yma."

Dechreuais deimlo piti dros y bobl ond yn sydyn clywais sŵn y troli te a Mam y tu ôl iddo.

"Paned heb siwgr i Mr Jones," meddai Mam.

"Paned?" dywedais i wrth yr hen ddyn.

"Yyy, beth, Lisi?" meddai. Doedd o ddim isio'r te. Triodd godi.

"Rydw i'n mynd adre heddiw. Rydw i wedi pacio," meddai.

Edrychais yn drist ar Mam. "Beth dylwn i wneud?" holais.

Helpodd Mam Mr Jones i eistedd. "Dydy Lisi ddim yn dod heddiw, Stan. Jan fy merch ydy hon."

Edrychodd yr hen ŵr yn od arna i.

"Nid Lisi ydy hi?" meddai.

"Gwallt du sy gan Lisi."

Yfodd y te yn dawel.

"Siarad hefo fo," dywedodd Mam.

"Siarad am beth?" holais.

"Wel rhywbeth," meddai Mam.

Ond ar ôl paned o de roedd Stan Jones yn siaradus iawn.

"Mae dwsinau o hen bobl yma. Gwneud dim byd ond cysgu a bwyta. Rydw i'n mynd adre."

"Pryd ydych chi'n mynd?" holais.

"Pan fydd Lisi'n dod. Yfory."

"Dyna biti." Roeddwn i'n hoffi Stan.

"Mae Lisi wedi marw," eglurodd Mam. "Dydy hi ddim yn mynd i ddod yfory."

Es i i'r gwely y noson honno yn meddwl am y cartref henoed.

Rydw i'n mynd i sgwrsio â phob un o'r hen bobl bob dydd, meddyliais. Fydd dim un ohonyn nhw yn cysgu o flaen y teledu. Bydda i'n siarad â nhw. Mewn un wythnos byddan nhw'n giang o hen bobl hapus, siaradus.

4.

Y bore wedyn doedd gen i ddim i'w wneud.

"Heia, Jan," meddai Geraint. Roeddwn i yn yr ardd gefn. "Gweithio y bore 'ma?"

"Prynhawn," atebais i.

"Beth am ddod allan?" dywedodd o ar unwaith. "I'r ganolfan chwaraeon. Gêm o sboncen."

Wel, rydw i'n credu mewn cadw'n heini a bwyta'n iach. Ond dydw i ddim yn mynd allan efo bachgen dw i ddim yn ei hoffi.

"Rwy'n brysur," dywedais.

"O, c'mon Jan," meddai Geraint. "Dwyt ti byth yn dod. Be am reidio'r beic 'te?"

Roedd hi'n fore braf a minnau heb lawer i'w wneud.

"Wel," dywedais, "efallai. Ffonia i Mari a Wendy."

"O," meddai Geraint yn siomedig.

Es i i'r tŷ i ffonio. Ond doedd dim ateb yng nghartref Mari na Wendy.

Es i nôl y beic. Roedd Geraint yn gwenu fel babi. "I'r parc?" gofynnodd. "Coffi yn y Caffi Bach?"

"Ie, iawn," atebais.

Mae Geraint yn iawn. Rydw i'n cofio amser pan oedden ni hefo'n gilydd o fore tan nos, a Mam yn dweud mai merch drws nesa, nid ei merch hi, oeddwn i. Ond roedden ni'n blant – a doedd dim pimpls gan Geraint! Roedden nhw'n goch iawn heddiw – yn enwedig wrth iddo chwysu ar y beic.

"Wyt ti wedi trio rhywbeth atyn nhw?"

"At be?"

"Y pimpls 'na."

Roeddwn i wedi gwneud mistêc i siarad am y pimpls. Roedd wyneb Geraint yn fflamgoch. Neidiodd o'i feic.

"Does gen i ddim help," gwaeddodd.

"Nac oes, ond wyt ti wedi trio?"

"Efallai bod dau job gen ti, Jan, ond dwyt ti ddim yn deall popeth."

"Dw i'n gwybod – ond mae 'na stwff."

"Dw i ddim isio gwybod."

"Ond … roeddwn i'n meddwl …"

"A dau job anobeithiol ydyn nhw."

"Beth? Fy jobs i?"

"Ie."

"Wel, rydw i'n ennill arian, on'd ydw?"

"Arian mwnci," gwaeddodd Geraint yn gas.

"Swot ysgol!" Roeddwn i'n gweiddi hefyd.

Neidiodd Geraint ar ei feic a phedlo i ffwrdd fel ffŵl.

"Hei!" galwais. "Beth am y coffi?"

"Stwffia fo," oedd ei ateb ac aeth rownd y cornel.

"Hy." Roeddwn i wedi trio helpu. Ac os oedd Geraint yn hapus efo pimpls coch, mawr, ar ei wyneb, wel, dyna fo. Bechgyn!

Seiclais adre yn berwi. Roeddwn i wedi trio helpu Geraint a chael llond ceg am wneud!

5.

Roedd hi fel ffair yn y siop heddiw. Dechrau'r sêl haf! Roedd angen llygaid y tu ôl i'ch pen hefo'r cwsmeriaid. Pawb yn gwthio a thynnu'r dillad. Roeddwn i mewn ffitiau o chwerthin weithiau.

Roedd Miss Thomas yn brysur yn cymryd arian y cwsmeriaid a minnau'n pacio yn ymyl y til. "Brysiwch plîs, Jan," meddai Miss Thomas.

Gwaith caled ydy gweithio mewn siop ddillad – yn enwedig pan fydd sêl. Dim ond deg munud ces i yn y bore i gael paned. A phan es i'n ôl i'r siop roedd dillad a hangers ym mhob man.

"Codwch y stwff sydd ar y llawr, Jan," meddai Miss Thomas a throi i wynebu'r til, "neu byddwn ni'n siŵr o golli dillad." A'r eiliad honno, gwelais ddynes yn stwffio siwmperi i'w bag. Doeddwn i ddim yn siŵr beth i'w wneud. Roedd fy stumog fel jeli.

"Miss Thomas," dywedais yn dawel.

"Dim rŵan, Jan," meddai hi, a'i bysedd yn brysur yn y til.

"Ond mae …"

Ond doedd Miss Thomas ddim yn gwrando o gwbl. Penderfynais adael y cownter a rhuthrais heibio i Jaci, un o'r merched gwaith.

"Stopiwch! Rydych chi'n dwyn!" gwaeddais wrth redeg i lawr y siop.

"Aros!" rhybuddiodd Jaci.

Ond roeddwn i wedi fflachio heibio iddi heb wrando. Roeddwn i bron â chyrraedd y ddynes ac am ei harestio ar unwaith.

Mi welodd y ddynes fi'n dod ati a dyma hi'n camu y tu ôl i stand o ddillad a thaflu'r stand ata i.

Mewn tair eiliad, roeddwn i a'r stand a'r dillad a'r siwmperi ar y llawr a'r ddynes yn mynd am y drws.

"Lleidr!" gwaeddais o ganol y dillad.

Ac yn sydyn, dyma law fawr yn dal yn dynn yn fy mraich.

"Wedi dal y lleidr bach," meddai llais uwch fy mhen.

Roedd dyn mawr cas yn edrych arna i.

"Aros di i'r heddlu gyrraedd," bygythiodd. Roedd o'n dal yn dynn iawn yn fy mraich rŵan. Roedd y cwsmeriaid i gyd yn sbio arna i ac yn curo dwylo ac yn llongyfarch y dyn mawr am fod mor ddewr.

"Na, nid fi, y ddynes 'na," eglurais. "Mae hi'n dianc!"

"Hy, dy stori di – celwyddau!" gwaeddodd y dyn.

Roeddwn i'n teimlo fel gweiddi'n ôl arno fo. Roedd fy stumog yn crynu ac roeddwn i'n gacwn wyllt. Ac roedd poen fel cyllell yn fy nghoesau.

Pam doedd y dyn ddim yn barod i wrando ar reswm?
Roedd y lleidr yn dianc! Mi gyrhaeddodd Miss Thomas.

"Jan! Ydych chi'n iawn?" holodd. Trodd at y cwsmer
oedd yn dal yn fy mraich.

"Un o weithwyr y siop ydy Jan," meddai. "Yn anffodus,
mae'r lleidr wedi dianc."

"O, ymm, mae'n flin gen i, camgymeriad," meddai'r
dyn a'i wyneb yn fflamgoch. Edrychais arno fo'n gas am
eiliad. Fo a'i gamgymeriad!

Basai pawb arall wedi sylweddoli fy mod i'n gweithio yn
y siop.

"Ewch i'r stafell staff, Jan," dywedodd Miss Thomas.
"Mi siaradwn ni mewn munud."

Roeddwn i'n disgwyl "Da iawn, Jan," neu hyd yn oed
"Llongyfarchiadau", ond llond ceg ges i – "Peidiwch byth
â rhuthro eto yn y siop."

"Ond ..." dywedais.

"Lleidr neu beidio. Mae taclo rhywun ar eich pen eich
hun yn beryglus."

"Ond ..."

"Cofiwch alw un o'r staff y tro nesa."

Wel, does dim chwarae teg i mi. Roeddwn i wedi trio
dweud wrthi, ond roedd hi'n rhy brysur. Wel, y tro nesaf,
fydda i ddim yn cerdded yr un cam i ddal lleidr.

"Paid â phoeni," dywedodd Jaci. "Fydd y ddynes yna
ddim yn trio dwyn eto. Byddi di'n ei nabod hi."

Doeddwn i ddim yn siŵr am hynny. Yng nghanol y
ffwdan roeddwn i wedi anghofio'i hwyneb.

Erbyn i mi gyrraedd adre roeddwn i wedi blino'n lân.

Roedd Geraint yng ngardd drws nesa.

"Heia," dywedais i wrth fynd heibio. Ond ddywedodd
o'r un gair. Na sbio arna i. Wedi llyncu mul.

6.

Roeddwn i wedi socian fy nhraed yn y bath ac yn ymlacio
ar y soffa pan gyrhaeddodd Glenda a Gwyn. Maen nhw'n
mynd i briodi. Ar unwaith, yn syth bin. Syrthiodd gên
Mam a fy ngên i hefyd ar ôl clywed am y priodi.

Ond wrth edrych ar Gwyn, doeddwn i ddim yn credu.
Boi tawel, araf ydy o.

"Priodi mis nesa," dywedodd Glenda.

"Mae Gwyn wedi cael swydd newydd." meddai hi wedyn.
"Rydyn ni'n symud i Gaeredin."

Yna, dyma hi'n troi i fy wynebu i.

"A ti fydd y forwyn briodas, Jan. A Meira, chwaer
Gwyn, wrth gwrs."

Wel, wrth gwrs, fi fydd dy forwyn briodas, meddyliais i.
Dy unig chwaer. Ac rydw i'n ffansïo fy hunan mewn ffrog
hir a thusw o flodau yn fy llaw. Tybed fydd Tecs yn y
briodas? Bydd o'n siŵr o syrthio amdana i'n syth bin.

Aeth Mam a Glenda i'r gegin i ddechrau trefnu.
Ddywedodd Dad ddim gair ond gwenodd ac yna arllwysodd
wydraid o chwisgi i Gwyn.

"Mae angen diod fach arnat ti," meddai Dad. "Fydd
ddim cyfle i ti na fi fynegi barn ar y trefniadau."

Ches i ddim cyfle i fynegi barn chwaith.

"Lliw piws ysgafn i'r morynion," meddai Glenda.

"Bydd yn hyfryd hefo gwallt du Meira."

"Piws?" dywedais. "Hefo fy ngwallt coch i?"

"Bydd o'n siŵr o siwtio," meddai Glenda.

"Wel, dydw i ddim yn mynd i wisgo ffrog biws – a dyna ddiwedd ar y mater," bygythiais.

"Iawn 'te," atebodd Glenda. "Meira'n unig yn forwyn."

Sut roedd Glenda'n gallu bod mor gas hefo'i chwaer fach?

Gwisgo ffrog biws neu beidio â bod yn forwyn. Wel, penderfynais fod yn forwyn – wrth gwrs. Es i'n syth i ffonio Mari a Wendy.

"Glenda'n priodi," dywedais yn gyffrous. "Fi ydy'r forwyn."

"Grêt," meddai'r ddwy. "Pa liw ffrog fydd gen ti?"

"Piws," atebais.

Roedd distawrwydd mawr yr ochr arall i'r ffôn. Dw i'n gwybod beth maen nhw'n ei feddwl. Iyc!

"Tyrd i'r clwb hefo fi heno," meddai Jaci yn y siop.

"Y Majestic? Ond rydw i dan oed."

"Pwy sy'n gwybod dy oed di? Byddi di hefo fi."

Wel doeddwn i ddim yn siŵr beth i'w wneud.

"Tyrd i'r awr hapus – tan naw o'r gloch. Mynediad hanner pris. Gelli di adael am naw."

"Ie, ôl reit."

Roeddwn i allan yn y byd gwaith rŵan. Yn ennill cyflog. Ond doeddwn i ddim yn mynd i ddweud wrth Mam a Dad am fynd i'r Majestic.

"Mynd i dŷ Jaci o'r gwaith heno," dywedais.

"Tyrd di adre mewn pryd," rhybuddiodd Dad. "Dydyn

ni ddim yn nabod y Jaci yna."

Mae Dad yn siarad â fi fel merch ysgol.

Ond rydw i am fyw fy mywyd fy hun.

Roeddwn i wedi prynu ffrog yn sêl y siop. Un ddu gwta. Cwta iawn. Dim ond at dop fy nghluniau. Doeddwn i ddim wedi gwisgo'r ffrog yn y tŷ – doeddwn i ddim isio i Mam a Dad sylwi. Newidiais yng nghartre Jaci. Ces i golur ganddi hi hefyd. Un tywyll o gwmpas fy llygaid a minlliw fflamgoch tanllyd ar fy ngwefusau. Wrth edrych yn y gwydr roeddwn i'n siŵr fy mod i'n edrych yn ugain oed bron.

7.

Cyrhaeddon ni'r clwb tua hanner awr wedi wyth. Roedd y miwsig yn taranu ac un neu ddwy'n dawnsio.

"Merched sydd yma," dywedais yn siomedig.

"Aros tan naw o'r gloch," atebodd Jaci.

Ces i wydraid o lemonêd i ddechrau.

"Rhaid i ti gael lager," dywedodd Jaci. "Lemonêd yn dangos pa mor ifanc wyt ti."

Roedd fy nghalon i'n curo. Roeddwn i'n poeni y basai un o'r bownsers yn sylweddoli fy mod i o dan oed ac yn fy nhaflu i allan.

"Paid â phoeni," cysurodd Jaci. "Does dim ots gan y bownsers – maen nhw isio dy arian di."

Eisteddon ni wrth un o'r byrddau a cheisio sgwrsio uwchben y miwsig. Tipyn bach yn fflat roeddwn i'n gweld pethau, ond o dipyn i beth cyrhaeddodd ychydig o fechgyn.

Doeddwn i ddim yn adnabod un ohonyn nhw.

Roeddwn i wedi penderfynu mai lle diflas oedd y clwb yma, doeddwn i ddim yn adnabod neb ond Jaci, pan ddaeth Tecs i mewn.

Cododd fy nghalon yn syth. Roedd Tecs yn siŵr o sylwi arna i yn y ffrog yma, meddyliais.

"Tecs," dywedais wrth Jaci.

"Ymm neis," atebodd Jaci.

"Ffrind Victor," eglurais.

Edrychodd Tecs o gwmpas y stafell a'n gweld ni.

"Wel, wel," meddai. "Jan."

"A phwy ydy hi?" holodd gan wenu'n neis.

"Jaci," atebais. "O'r siop."

"Ja-aci," meddai mewn llais secsi ac aeth i eistedd yn glòs wrth ei hochr. "Wel, dyma fy noson lwcus."

A dyna ffarwel i fy ngobeithion yn syth bin. Roedd e'n llygadu Jaci ac yn gwenu a jocian fel petawn i yn rhan o'r wal! Edrychais arno am funud neu ddwy. Licio'i hun roedd e. Ffansïo'i hun fel y peth gorau welodd merch erioed. Roeddwn i'n crensian fy nannedd rhag ffrwydro ac yn cicio fy hun am fod cymaint o ffŵl.

A dyna ddiwedd fy mreuddwyd am Tecs. Ces i wydraid o lager ac eistedd wrth y bwrdd a gwrando arnyn nhw'n siarad geg yn geg a'u gwylio nhw'n dawnsio wedyn. Roeddwn i'n ddiflas.

Bu bron i mi syrthio o'r gadair pan welais i Geraint yn dod i mewn. Beth roedd o'n ei wneud yma? Roedd o dan oed – fel fi. Roedd o'n edrych yn ddeunaw oed o dan y goleuadau – a'r pimpls ddim mor amlwg. Wn i ddim pam ond cododd fy nghalon wrth ei weld o.

Edrychodd Geraint o gwmpas y clwb a gwelodd o fi.

Diolch byth, dywedais a chwifiais fy llaw. Cwmni i mi am y nos rŵan, meddyliais. Ond doeddwn i ddim yn credu'r peth. Roedd o'n cyfarch rhyw hoiti-toiti o ferch benfelen a'i bronnau hi bron allan o'i ffrog, ac yn mynd â hi at y bar. Doedd o ddim wedi dweud un gair wrtho i!

"Rydw i am fynd adre," dywedais wrth Jaci. Roeddwn i'n gacwn wyllt a bron â chrio. Siom Tecs a phopeth. A doeddwn i ddim isio gweld Geraint drws nesa byth eto.

8.

Es i hefo Mam i'r cartre yn y bore. Roedd Stan Jones yn wên o glust i glust pan welodd o fi.

"Lisi'n dod heddiw," meddai.

"Ydy hi?" atebais.

"Ydy," meddai.

Yna dyma fo'n gofyn, "Beth ydy dy enw di?"

"Jan."

"O ie. Jan gwallt coch," meddai.

Roedd y rheolwr wedi dweud bod isio i mi siarad hefo pawb. Felly dechreuais fynd o un i un i sgwrsio. Roeddwn i'n mwynhau fy hun. Gweld fy hun fel Florence Nightingale yn rhoi cysur a gobaith iddyn nhw.

"Mae Elin Hughes isio mynd i'r toiled," dywedodd Mam yn wyllt. "Brysia!"

"Dydw i ddim isio mynd," meddai Elin. Sbiodd yn gas ofnadwy arna i.

"Mam yn dweud," eglurais.

"Mam wedi marw," atebodd.

"Ie, ond fy mam *i* sy'n dweud," dywedais eto.

"Mae hi'n hanner pan," atebodd Elin yn siort.

Help! meddyliais. Be wna i? Ond roedd hi'n rhy hwyr – achos roedd afon fach yn llifo o gwmpas cadair Elin Hughes.

"Brysia! dywedais i," meddai Mam. "Dim pwynt cael sgwrs am y peth."

Agorais fy ngheg i ateb Mam ond caeais fy ngheg yn syth bin wrth weld y dagrau ar wyneb Elin Hughes.

"Peidiwch â phoeni," dywedais a gafael yn dynn yn ei llaw.

"Dim he-elp," meddai hi'n ddistaw. "Damwain fach."

Roeddwn i bron â chrio fy hun. Ond roeddwn i hefyd yn benderfynol o wynebu pob sialens yn y cartre henoed yma.

"Dos ag Elin i'r ystafell ymolchi – rŵan," meddai Mam. "Bydda i hefo chi mewn munud."

Helpais i Elin i gerdded yn araf am y drws.

"Wel, mi ddywedais i wrthoch chi. Mae 'na lot o waith yma – lot o hen bobl," meddai Stan Jones – ac roedd o'n gwenu.

"Siarada i hefo chi eto," atebais yn fygythiol.

"Iawn. Jan gwallt coch," meddai gan wincio.

Bydd rhaid i mi fod yn llym hefo'r Stan yna, dywedais wrthyf fy hun, ond roedd hi'n anodd iawn peidio â gwenu.

"Rwyt ti'n beth del iawn," meddai Stan. "Oes gen ti gariad?"

"Dydy o ddim o'ch busnes chi, nag ydy?"

A dyma fi'n troi at y ddynes yn y gadair agosaf. A'r funud nesaf roeddwn i'n neidio am y nenfwd! Roedd rhywun wedi pinsio fy mhen ôl i! Stan Jones!

"Peidiwch byth â gwneud hynna eto!" bygythiais a 'mhen ôl i'n llosgi.

"Lisi'n dod mewn munud," meddai'n drist. "Bydda i'n mynd adre wedyn."

Yn sydyn roeddwn i wedi maddau i'r hen Stan.

9.

Roeddwn i'n falch i gyrraedd y siop yn y prynhawn.

"Ces i noson grêt," meddai Jaci'n dawel. "Tecs yn dipyn o foi."

"Ydy am wn i," atebais.

Ond dydy siop ddillad ar brynhawn Sadwrn ddim yn lle i hel clecs! Roedd y siop yn llawn cwsmeriaid. Roedd y sêl wedi gorffen ond roedd pobl yn dal i chwilio am fargen.

"Gwyliwch wrth y drws eto, Jan," meddai Miss Thomas. "A dim brafado na dewrder heddiw."

Brafado, wir, meddyliais. Roeddwn i wedi gwneud fy ngorau glas, heb gael un gair o ddiolch – dim ond beirniadaeth. Pwysais fy nghefn ar y wal a syllu o gwmpas y siop. Edrychais ar y cwsmeriaid i gyd. Sawl lleidr oedd yn y siop rŵan, tybed? Pe basai pob cwsmer yn rhuthro at y drws yn cario dillad, faswn i ddim yn stopio neb.

Cerddodd Miss Thomas ata i a sibrydodd, "Sefwch, nid hanner gorwedd. Bydd hi'n amhosibl i chi ddal lleidr os ydych chi'n cysgu."

Mae pob bòs yn annheg. Ecsploetio'r gweithwyr!

"Iawn, Miss Thomas. Ar unwaith Miss Thomas,"

sibrydais o dan fy ngwynt.

"Ydych chi'n dweud rhywbeth?" meddai hi'n felys.

"Dim, Miss Thomas," dywedais yn felys iawn.

Mae Miss Thomas yn rhy hen i gael cariad. Rhy sur. Efallai, pan oedd hi'n ifanc, roedd hi wedi cael siom mewn cariad, breuddwydiais. A rŵan mae hi wedi colli pob diddordeb ym mhopeth – ond yn ei gwaith.

Beth am Miss Thomas a Stan Jones hefo'i gilydd? meddyliais. A Miss Thomas yn mwynhau pinsiad neu ddau ar ei phen ôl!

Roedd Jaci yn benderfynol o siarad am Tecs amser egwyl.

"Golygus, on'd ydy?" meddai'n freuddwydiol.

"Iawn, os wyt ti'n licio hync seren ffilm," atebais. "Heb ddim yn ei ben."

Waw! Roeddwn i'n swnio fel Mari a Wendy. A doeddwn i ddim hanner mor alluog.

"Llygaid glas," meddai Jaci, "llygaid sy'n diosg dy ddillad wrth edrych arnat ti."

Cochais i dipyn bach. Roedd Tecs wedi llygadu fy mronnau yn y tacsi, meddyliais.

"Wel, faswn i ddim yn rhoi'r siawns iddo fo. Mae bachgen fel Tecs yn beryglus."

Edrychodd Jaci'n od arna i. Roedd fy wyneb yn fflamgoch.

"Wel, wn i ddim – mae o'n hŷn na fi," eglurais.

Doeddwn i ddim isio i Jaci feddwl bod gen i ddiddordeb yn Tecs.

Doeddwn i ddim yn siŵr a oeddwn i'n hoffi Tecs ai peidio. Wedi'r cyfan, doedd o ddim wedi siarad â fi yn y

Majestic.

A doedd Geraint drws nesa ddim chwaith. Ond doedd dim ots gen i am Geraint. Pwy sy isio cariad hefo pimpls?

10.

Cyrhaeddais i adre i fwrdd cegin yn llawn papurau, a Mam a Glenda drwyn wrth drwyn yn gwneud rhestr briodas.

"Isio help?" gofynnais.

"Dim gen ti," meddai Glenda mewn llais siarad hefo chwaer fach.

"Mae dy dad isio paned arall," meddai Mam.

Roeddwn i isio bath. Twtio fy hunan dipyn bach. Edrych oedd gen i flew dan fy ngheseiliau. A socian yn y dŵr – achos roedd Glenda'n rhy brysur i fod yn yr ystafell ymolchi am ddwy awr!

Ond gwrando ar Mam wnes i a gwneud paned o goffi i mi a Dad.

"O, dyma ble rydych chi," dywedais i a chario'r coffi i'r bwrdd bach.

"Ble arall?" meddai Dad a'i lygaid ar sgrîn y teledu. "Reidia'r ffŵl!" rhuodd yn sydyn.

"Does dim angen gweiddi," dywedais gan ddal yn dynn yn y cwpan coffi.

"Mae gen i arian ar y tipyn ceffyl yna!" eglurodd Dad. "A mae'r joci'n anobeithiol."

Rasys ceffylau, pêl-droed a'r dafarn ydy hoff bethau Dad.

"O na, mae'r diawl twp wedi colli'r ras y funud ola,"

dywedodd Dad. "Baswn i'n gallu marchogaeth yn well fy hun."

"A bydd y moch yn hedfan," sibrydais.

"Ydyn nhw wedi gorffen yn y gegin 'na?" gofynnodd.

"Maen nhw'n boddi mewn rhestrau," atebais.

Daeth Mam a Glenda i mewn ar y gair.

"Rydyn ni wedi gorffen y rhestr briodas," meddai Mam a gwên ar ei hwyneb. "Anfon y cardiau gwahodd fydd nesa."

"Bydd rhaid i chi fynd i siop Moss i archebu trowsus streip a chôt gynffon, Dad," meddai Glenda.

Bu bron i gwpan Dad syrthio ar y llawr.

"Be?" holodd mewn panic.

"Siwt gynffon a het uchel. Chi a Gwyn a'r gwas priodas, wrth gwrs."

Neidiodd Dad ar ei draed.

"Does dim un o fy nhraed i yn mynd i siop Moss," gwaeddodd. "A does dim un o fy nghoesau i yn mynd i mewn i drowsus streip."

"Ond Dad ..." Roedd sŵn crio yn llais Glenda. "Mae Gwyn ..."

"Does dim ots gen i am dy Gwyn di," rhuodd Dad. "Dim trowsus streip – deall?"

"A beth amdana i'n gwisgo ffrog biws?" cwynais. "Hefo 'ngwallt coch i."

Mae lot o bethau annheg mewn bywyd!

11.

Es i i'r ysgol heddiw i gael canlyniadau TGAU. Dau ges i! Doeddwn i ddim yn disgwyl mwy – a fi heb weithio. A dydw i ddim am ddweud ai A neu B neu C ges i. Dydy o ddim yn fusnes i neb ond fi. Mae Mari a Wendy wedi cael canlyniadau da, wrth gwrs. A a B bron i gyd. A Geraint hefyd.

Roeddwn i wedi meddwl ei longyfarch o. Ond doedd o ddim yn siarad â fi, felly pam dylwn i?

Roeddwn i'n dechrau yn y siop am ddau.

"Oedd y canlyniadau TGAU allan heddiw, Jan?" holodd Miss Thomas yn neis.

"Wel, ces i un neu ddau," atebais, "ond dydw i ddim yn poeni dim."

Ond yn rhyfedd iawn, roeddwn i yn poeni. Hen deimlad od oedd gweld Mari a Wendy a'r criw yn llongyfarch ei gilydd ac yn "Wwio" ac "Aaio" o glywed am eu canlyniadau. Roeddwn i'n teimlo allan o bopeth.

Ond doeddwn i ddim isio mynd i'r coleg. Isio dechrau gweithio ac ennill arian roeddwn i. Felly, rydw i wedi cael fy nymuniad.

"Dyna biti," meddai Mari pan ddaeth hi i'r siop yn y prynhawn. "Siomedig?"

"Dim o gwbl," atebais yn hyderus.

Edrychodd Mari'n syn arna i am eiliad.

"Rydyn ni'n mynd allan i ddathlu heno," meddai hi o'r diwedd. "Wyt ti'n dod?"

"Dim perygl," meddyliais.

A chadw at fy mhenderfyniad wnes i – er bod noson hir, ddiflas o fy mlaen i.

12.

Rydw i wedi gweld boi golygus – ac wedi anghofio popeth am Tecs. Pob lwc i Jaci.

Ond sut i ddod i adnabod y boi newydd yma? Dyna ydy'r broblem.

Roeddwn i wedi mynd i gaffi Penrallt amser cinio. Jyst i nôl rôl caws a thomato i'w bwyta yn yr ystafell staff. A dyma fi'n ei weld o! Roedd o'n sefyll wrth y cownter ac yn trio penderfynu beth roedd o isio i ginio. A dyma fy nghalon yn neidio.

Roedd o'n dal, hefo gwallt du, du a llygaid brown, a phan wenodd o arna i – bu bron i mi lewygu.

"Dewis di gynta," meddai. "Dydw i ddim wedi penderfynu eto."

"Na fi," atebais yn gelwydd i gyd. Sefais wrth ei ochr a smalio edrych ar y bwydydd o dan y cownter. Ond roeddwn i'n hanner edrych arno fo hefyd a fy nghalon i'n pwmpio fel peiriant car.

"Wyt ti wedi dewis?" gofynnodd.

"Na," atebais – ac roedd fy llais ar goll rywle yn fy ngwddf.

"Mi gymera i rôl ham a letys," meddai wrth y ferch y tu ôl i'r cownter.

Ac yna aeth tuag at y drws a diflannu o fy mywyd i.

Cerddais yn ôl i Cresta mewn breuddwyd braf. Beth oedd ei enw tybed? Rhywbeth deinamig fel Tristan neu Myrddin, mae'n siŵr gen i. A ble roedd o'n gweithio?

"Beth sy'n bod?" holodd Jaci wrth fy ngweld i'n bwyta heb ddweud gair.

"Wedi gweld y boi 'ma," dywedais.

"Ble?" holodd Jaci.

"Caffi Penrallt. Yn prynu rôl ham a letys."

"Rhamantus!" meddai Jaci gan chwerthin.

Roeddwn i'n edrych i'r stryd bob munud yn y prynhawn. Jyst i weld oedd o'n cerdded heibio.

Unwaith, roeddwn i'n meddwl fy mod i'n ei weld o ond na, rhywun arall oedd o, lot llai golygus.

"Hmmm," pesychodd Jaci rywle y tu ôl i mi. Atebais i ddim. Roeddwn i'n rhy brysur yn breuddwydio, breuddwydio am syrthio i freichiau Tristan/Myrddin.

Ond pesychu i fy rhybuddio oedd Jaci. Y funud nesaf roedd Miss Thomas yn sefyll wrth fy ochr ac yn edrych yn fusneslyd i'r stryd.

"Disgwyl Tywysog Charles, Jan?" holodd yn reit sbeitlyd.

Teimlais fy hun yn cochi.

"Sori, Miss Thomas. Meddwl oeddwn i," meddwn i'n gloff.

"Talu am waith, nid am feddwl, ydyn ni yn y siop yma, Jan," meddai hi'n siort. "Ewch i dwtio'r bwrdd siwmperi 'na."

"Iawn, Miss Thomas. Sori, Miss Thomas," dywedais i gan edrych unwaith eto i gyfeiriad y stryd.

"Rŵan, Jan," meddai hi.

Wel, roeddwn i isio cadw fy job. Felly mi es i'n syth bin rhag ofn imi gael y sac.

"Paid â gwylltio Miss Thomas, Jan," rhybuddiodd Jaci. "Mae ganddi dymer, cofia."

Ond mae'n bosibl gweithio a breuddwydio. A dyna

wnes i trwy'r prynhawn hefyd. Ond ches i ddim cyfle i syllu trwy'r ffenest wedyn.

Doedd neb yn hapus yn ein tŷ ni pan gyrhaeddais adre. Dad yn styfnig, Glenda'n crio, Mam yn trio rhesymu a Victor a'i ben yn y papur.

"Rydw i isio priodas fythgofiadwy," sniffiodd Glenda. "Hefo steil ac urddas. Ac mae Gwyn yn dweud …"

Ond chawson ni ddim gwybod beth roedd Gwyn yn ei ddweud. Fe gododd Dad a rhuthro am y llofft a chau drws y toiled hefo clep enfawr. Yno y bydd o tan amser swper rŵan!

Mae hi fel ffair yn y siop. Miss Thomas wedi dweud bod rhaid cymryd stoc ddydd Mawrth, ac y bydd yn rhaid inni gychwyn yn gynnar a gorffen yn hwyr er mwyn gwneud y cyfan mewn byr amser.

"Dod yma cyn wyth!" dywedais i'n syn wrth Jaci. "Be mae hi'n meddwl ydyn ni?"

"Dyna'r oriau gwaith amser cymryd stoc," meddai Jaci.

"Ond mi fydd yn rhaid imi godi tua saith! Amhosibl."

"Cloc larwm," eglurodd Jaci. "Dyna beth maen nhw dda. I godi pobl."

Ac yna dyma hi'n cael syniad sydyn.

"Mi wn i. Tyrd i aros ata i. Mi fyddi di'n siŵr o godi wedyn."

Ac mi gafodd syniad arall.

"Mi awn ni allan am noson. I'r dafarn. Lot o hwyl yno."

"Tafarn?"

Roedd fy ngheg i'n agored fel pysgodyn. Nid bod gen i

ddim yn erbyn tafarn. Roeddwn i isio mynd. Ond roeddwn i'n meddwl am Dad yn ffeindio allan. Basai'n gacwn wyllt!

A dydw i byth yn deall pam. Mae o a Mam yn mwynhau diferyn o alcohol ac nid diferyn bach chwaith. Maen nhw'n dod adre yn hapus braf, a phen tost fore trannoeth.

"Syniad da," dywedais i.

"Iawn," meddai Jaci yn wên i gyd. "Mi gawn ni hwyl."

Doedd Dad ddim yn hoffi'r syniad ar y dechrau. Methu â gweld y gwahaniaeth rhwng codi'n gynnar yn nhŷ Jaci a chodi'n gynnar gartre. Ond wedi imi egluro pa mor gynnar oedd rhaid bod yn y siop, ac y basai Jaci'n falch o fy nghwmni rhag ofn iddi gysgu'n hwyr, mi gytunodd Dad.

"Cofia ddiolch i mam Jaci, a chofia bihafio dy hun mewn tŷ dieithr," dywedodd Mam.

Wrth gwrs!

13.

Paciais i fy jîns a fy nhop gorau i'w gwisgo gyda'r nos.

Hefo'i mam mae Jaci'n byw – mae ei rhieni wedi cael ysgariad.

Roeddwn i braidd yn nerfus wrth feddwl am wynebu ei mam am y tro cynta. Ofni na fyddai hi'n ffansïo cael rhywun o'r siop yn y tŷ. Ond mi ges i groeso mawr.

"Mae'n dda gen i weld Jaci yn dod â ffrind adre," meddai hi. "A mwynhewch eich hunain heno," meddai hi wedyn wrth gychwyn allan ei hun.

"Cariad newydd ganddi," eglurodd Jaci.

"O," meddwn i heb wybod beth arall i'w ddweud. "Oes

ots gen ti?"

Codi'i hysgwyddau wnaeth Jaci.

"Pam lai?" meddai hi. "Mae Dad wedi mynd, on'd ydy?"

Fedrwn i ddim meddwl am Dad a Mam yn cael ysgariad,
er eu bod nhw'n ffraeo'n ofnadwy weithiau. (Fel rŵan hefo
priodas Glenda!)

"Mi awn ni i'r Grapes," meddai Jaci. "Hei, beth am
dipyn bach o golur ar dy wyneb? I ti edrych dros oed."

Tipyn bach ddywedodd hi, ond erbyn iddi orffen roedd
gen i liw brown ar fy wyneb, colur llygaid nes roedden
nhw fel soseri, a minlliw tanllyd ar fy ngwefusau. A phâr o
glustlysau Jaci i edrych yn soffistigedig.

"Iawn," dywedais i yn ffansïo fy hun yn ofnadwy yn y
drych.

Roeddwn i'n edrych yn ugain oed o leiaf.

Mi gerddon ni i lawr y stryd ac i'r dafarn. Roedd y lle'n
llawn.

"Dyma Jan," dywedodd Jaci. "Mae hi'n gweithio yn y
siop."

Roedd criw o'i ffrindiau yno. Bechgyn a merched. Ond
doedd dim un o'r bechgyn yn bishyn rywsut. Ond roeddwn
i'n hoffi eistedd mewn criw yn chwerthin ac yfed a gwylio
pawb arall yn ysmygu. Doeddwn i ddim am gymryd
sigarét, wrth gwrs – *no way!*

Roeddwn i wedi bwriadu bod yn ofalus hefo'r ddiod.
Doeddwn i ddim eisiau gwneud ffŵl ohonof fy hun. Ond
wrth weld pawb mor brysur yn siarad a chwerthin ac yfed,
mi anghofiais gadw cownt. Ac o dipyn i beth, mi aeth
popeth a phobman yn niwl braf, ac roedd y lleisiau a'r
chwerthin yn bell i ffwrdd.

Roedd ffrindiau Jaci yn prynu diod i mi.

Mi yfais i bopeth.

Mi ganodd y gloch amser cau o'r diwedd. Roedd pawb yn codi a gwisgo eu cotiau a ffarwelio a mynd am y drws. Ond rywsut roedd fy mhen ôl i'n sownd yn y sedd.

"Jan! Faint wyt ti wedi'i yfed?" holodd Jaci.

Fedrwn i ddim ateb. Roedd fy nhafod yn dew.

"Helpwch fi i fynd â hi allan," meddai Jaci wrth rywun.

Doedd gen i ddim cof o fynd allan, ddim ond bod fy nhraed yn drwm iawn, a bod yr awyr iach wedi fy hitio fel morthwyl rhwng fy llygaid.

"Oooo, gadewch imi farw," dywedais.

"Marw?" meddai Jaci. "Rwyt ti'n gweithio yfory, y ffŵl."

Gwaith? Beth oedd hwnnw? Fedrwn i ddim dychmygu gweithio y funud honno.

"Ooo!" dywedais i wedyn a'r beil yn codi i fy ngheg.

"Iyc! Mae hi'n mynd i chwydu," dywedodd rhywun.

A digwyddodd. Dros fy jîns a fy nhop gorau. O! mi roeddwn i'n sâl! Yn ddigon sâl i farw.

Dyna ddywedais i wrth Jaci, ond wnaeth hi ddim gwrando.

"Dwyt ti ddim yn gallu marw yma," meddai hi a dechrau fy llusgo i gyfeiriad ei chartre.

Mi eisteddais ar garreg y drws a gobeithio bod y byd yn mynd i stopio troi.

"Ar dy draed, i mewn â ti," meddai Jaci.

"Ddim i-i-isio," atebais. Doeddwn i ddim yn gallu teimlo fy nghoesau.

"Uffern dân," meddai rhywun. "Sut gallwn ni ei chario

i'r gwely?"

A dyma nhw'n dechrau fy llusgo tua'r grisiau. Clywais rywun yn trio canu ar dop ei llais.

"Cau dy geg," meddai Jaci'n gas. "Wyt ti isio deffro drws nesa?"

Hefo pwy oedd hi'n siarad? Nid fi oedd yn canu. Roeddwn i'n siŵr o hynny. Tynnodd rhywun fy nillad. Teimlais rywun yn rhoi gobennydd o dan fy mhen.

"Cysga ar dy ochr," rhybuddiodd llais.

"Ooo! Stopia'r gloch 'na. Plîs!" cwynais fore trannoeth.

"Cloc larwm ydy o. Ac mae'n amser codi," meddai Jaci.

"Codi?" dywedais. "Byth!"

Fe drois ar fy ochr ond roedd sŵn morthwylion yn fy mhen.

"Cod!" gwaeddodd Jaci. "Rŵan, neu mi fyddwn yn hwyr. Brysia!"

Roedd fy llygaid yn hanner cau a'r golau gwan trwy'r ffenest fel cyllell.

"Dylet ti fod yn fwy gofalus," dywedodd Jaci. "Sut oeddwn i'n gwybod faint oeddet ti'n ei yfed?"

"Colli cownt wnes i," ochneidiais.

Ces i ofn pan welais fy hun yn y drych. Wyneb bwgan brain yn sbio arna i, a cholur neithiwr arno.

"Ymolcha. Tra bydda i'n gwneud brecwast," meddai Jaci.

"Brecwast?"

Dechreuodd fy stumog droi.

"Fedra i ddim wynebu bwyd."

"Coffi du a thost," atebodd Jaci a diflannu i lawr y

grisiau.

Roedd pob cam yn boen wrth i mi gerdded am yr ystafell ymolchi. Ond mi ddechreuais deimlo'n well wedi rhoi dŵr oer ar fy wyneb a brwsio fy nannedd.

Yfais y mygaid o goffi a ches i un tabled at fy nghur pen. Ond fedrwn i ddim bwyta tamaid o'r tost. Dydw i byth bythoedd am yfed gormod eto!

14.

Am fore! Mae cymryd stoc yn farathon o job, yn enwedig hefo cur pen.

"Dewch ymlaen, Jan," meddai Miss Thomas wrth fy ngweld i'n symud yn araf.

Erbyn amser cinio, roedd fy stumog i'n gweiddi am fwyd, a fy nghur pen yn ofnadwy. Ond doedd dim awr ginio o achos y gwaith.

"Ras i'r caffi ac yn ôl hefo brechdan, Jan," meddai Miss Thomas yn bigog. Mi redais am y caffi, a cheisio rheoli fy nghur pen yr un pryd. A'r eiliad nesaf roeddwn i wedi gwrthdaro yn erbyn rhywun, a fo a finnau'n syrthio ar y palmant.

"Uffern dân!" meddai rhywun yn gacwn wyllt.

TRISTAN/MYRDDIN!

"O sori," dywedais i, wedi anghofio popeth am frechdan a chur yn fy mhen.

Ond roedd o wedi rhoi ei law wrth ei lygaid ac yn penlinio ar y palmant.

"Wyt ti wedi brifo?" holais a fy nghalon yn fy ngwddf.

"Wedi brifo?" meddai'n grac. "Dylet ti fod yn fwy gofalus. Wedi colli fy lens llygad rŵan. A maen nhw'n costio ffortiwn."

Mi gamais ymlaen i drio helpu chwilio.

"Aros lle'r wyt ti!" gorchmynnodd.

Ond roedd yn rhy hwyr. Mi deimlais rywbeth bach, bach yn crensian o dan fy nhroed. Y lens llygad!

Wel, dyna ddiwedd ar bopeth cyn iddo ddechrau. Roedd ei lais yn rhuo yn fy mhen, a doedd dim gobaith ymddiheuro. Doedd o ddim yn gwrando ar yr un gair.

"Ffŵl gwirion!" oedd y geiriau diwethaf glywais i fel y diflannodd i lawr y stryd.

Ches i ddim blas ar y frechdan, ac roedd gweithio'n galed trwy'r prynhawn yn uffern. Dydy bywyd byth yn deg!

Roedd hi bron yn wyth o'r gloch arnon ni'n gorffen. Ac erbyn hynny, roeddwn i bron â disgyn.

"Eich tad wedi ffonio, Jan," meddai Miss Thomas. "Mae Victor yn dod i'ch nôl."

"Diolch byth," dywedais i wrthyf fy hun.

Mi gyrhaeddodd Victor jyst cyn inni orffen. Am unwaith, roedd o wedi ymolchi a newid o'i ddillad gwaith.

"Miss Thomas ... Victor," dywedais i.

Mi estynnodd Victor law reit lân i ysgwyd llaw. (Wn i ddim beth am ei ewinedd chwaith. Olew i gyd, betia i.)

Roeddwn i'n barod i adael. Ond am ryw reswm roedd Miss Thomas a Victor yn dal i siarad a gwenu ar ei gilydd.

"Wela i di fory," meddai Jaci. "A gobeithio bydd dy ben di'n well."

"Dwi isio mynd adre," ochneidiais. "Beth sy'n bod ar y

ddau?"

Roedd gwrid ar wyneb Miss Thomas a sioc ar wyneb Victor. Oedden nhw'n ffraeo? Mi benderfynais fod yn rhaid imi dorri ar draws eu sgwrs.

"Barod rŵan, Victor," dywedais i.

"O ia siŵr," meddai Victor. "Dda gen i eich cyfarfod chi," meddai wrth Miss Thomas.

A dyma nhw'n gwenu'n reit neis ar ei gilydd.

Roedd Victor yn dawel ar y ffordd adre, ond doedd dim ots gen i. Rhwng popeth, roeddwn i wedi cael noson a diwrnod ofnadwy!

15.

Daeth Mari a Wendy i'r siop heddiw. I chwilio am rywbeth newydd i ddathlu'r canlyniadau TGAU, medden nhw. Roedd y ddwy'n prowla yma ac acw, yn trio popeth ac yn cael hwyl wrth edrych ar y prisiau.

"Wyt ti'n licio gweithio yma?" holodd Mari. "Diflas, dwi'n siŵr."

"Cael cyflog, on'd ydw?" atebais i.

Roeddwn i wedi bwriadu mynd o gwmpas y siop hefo nhw, ond gwaeddodd Miss Thomas arna i.

"Silffoedd blêr, Jan," meddai hi.

Ac wrth gwrs, roedd yn rhaid imi wrando ar Miss Thomas. Aeth Mari a Wendy at y cownter bach i weld gweddillion y sêl. Roeddwn i wedi bwriadu prynu top lliw ceirios o'r cownter bach, ond anghofiais i ofyn i Miss Thomas. A'r unig un oedd o hefyd.

Aeth Mari a Wendy allan heb brynu dim, jyst fel roeddwn i'n gorffen twtio'r silffoedd. Dyma fy nghyfle i gadw'r top 'na, meddyliais. Ond doedd o ddim yno! Mi ddechreuodd fy stumog grynu.

Bore tawel oedd hi yn y siop, doeddwn i ddim yn gallu cofio gweld neb ond Mari a Wendy wrth y cownter bach. A doedden nhw ddim wedi prynu dim! Felly, ble roedd y top?

Roedd Jaci wrth y til.

"Oes rhywun wedi prynu'r top lliw ceirios?" gofynnais.

"Nac oes," atebodd.

"Dydy o ddim yno rŵan," meddwn i a fy ngheg yn sych.

"Wedi'i ddwyn," meddai Jaci.

"Fasen nhw byth," meddwn i. "Nid Mari a Wendy."

"Dwyt ti ddim yn gallu ymddiried yn neb," meddai Jaci'n bendant.

"Ond maen nhw'n ffrindiau!"

"Mae ffrindiau od gen ti," oedd barn Jaci.

Doeddwn i ddim yn gwybod beth i'w ddweud wrth Miss Thomas. Doeddwn i ddim yn hollol siŵr, nac oeddwn? Roedd y top lliw ceirios wedi diflannu. Ond sut?

Roedd y siop yn cau mewn munud a fi isio mynd adre a cheisio meddwl. A phwy gerddodd i mewn? Victor!

"Be wyt ti'n ei wneud yma?" holais yn syn.

"Ar fy ffordd adre," meddai. "A meddwl y baset ti'n licio lifft."

"Iawn," meddwn i'n llawn sioc.

Ond roedd o wedi troi i siarad hefo Miss Thomas. Ac roedd hi'n gwenu er ei fod o yn y siop yn ei ddillad gwaith.

Dyna sioc arall. Mae bywyd yn od!

Roedd Geraint yn dod i lawr llwybr gardd drws nesa fel y cyrhaeddon ni adre.

"Sut hwyl, Geraint?" holodd Victor.

Ond mynd i mewn heb ddweud dim wnes i. Doedd dim pwynt siarad â Geraint.

Mae bywyd yn llawn problemau. Roeddwn i'n poeni i ble'r aeth y top lliw ceirios yna, ac yn meddwl y dylwn i ddweud rhywbeth wrth Miss Thomas. Ond roedd Mari a Wendy'n ffrindiau imi. Wedi bod yn ffrindiau ers yr ysgol gynradd. A doeddwn i ddim yn gallu profi mai nhw oedd wedi dwyn y top.

Roeddwn i'n teimlo'n drist wrth gerdded hefo Mam am y cartre henoed tua deg y bore. Ac yn drist iawn pan gerddodd Mari a Wendy i'n cyfarfod ni. Roedd Mari'n gwisgo top lliw ceirios!

"Hylo," meddai Mam. "Wedi dod i chwilio am Jan ydych chi?"

"Na, Geraint," meddai'r ddwy.

Doeddwn i ddim yn gallu dweud dim. Roedd fy llygaid ar dop lliw ceirios Mari. Yn union fel yr un o'r siop.

Mi welodd hi fi'n edrych arno, a chochodd ychydig.

"Licio fo? Mam wedi'i brynu yn Llandudno yr wythnos diwethaf," dywedodd. "Anrheg Mam i mi, yntê Wendy?"

"Del iawn, wir," meddai Mam. "Basai'r lliw yna'n dy siwtio ti, Jan. Oes 'na rai yn Cresta'r dre hefyd?"

"Un oedd ar ôl wedi'r sêl," atebais. "Ond dydy o ddim yno rŵan."

"Well i ni fynd," meddai Mari'n frysiog. "Mae Geraint yn disgwyl."

Roeddwn i bron â chrio. Ac mae Mam yn gwybod yn iawn os ydw i'n teimlo'n emosiynol.

"Rhywbeth yn bod, Jan?" holodd.

"Dim byd," meddwn i mewn llais bach.

"Mae rhywbeth," meddai hi.

Yn sydyn, doeddwn i ddim yn gallu stopio fy hun. Dywedais y stori i gyd wrthi. Gwrandawodd Mam heb ddweud yr un gair.

"Mae siop Cresta yn Llandudno, cofia, Jan," meddai hi. "Ac efallai bod mam Mari wedi prynu un yno. Bod yn ddistaw sydd orau."

Mi gyrhaeddais y cartre henoed mewn cwmwl o dristwch.

"Hylo Jan wallt coch," meddai Stan Jones, yn hapus i'm gweld i.

Dywedais i "hylo" yn reit dawel. Ond allwn i ddim bod yn drist am byth, hyd yn oed os oeddwn i'n poeni am y top lliw ceirios. Felly gwenais, ac mi siaradais, ac mi helpais Mam. Cofiais Stan Jones hefyd. Doeddwn i ddim isio pinsiad arall ar fy mhen ôl!

16.

Mae'r ffrog biws wedi cyrraedd. Un hir hefo rhuban anferth ar y cefn. Pe basai hi'n unrhyw liw arall, mi faswn i'n hapus.

Ond dydy Dad ddim wedi cytuno i'r trowsus streip a'r

gôt gynffon!

Wn i ddim beth sy'n bod ar Victor. Mae o'n rhoi lifft imi adre o'r gwaith, ac yn cael gair hefo Miss Thomas bob tro hefyd. Ydy Miss Thomas yn cwyno am fy ngwaith, tybed? Dweud fy mod i'n weithiwr gwael ac yn mynd i gael y sac?

Rydw i'n mynd allan hefo Jaci ar nos Sadwrn rŵan. Rydw i'n ennill cyflog, ac yn rhy aeddfed i fynd gyda chriw o ferched ysgol. A beth bynnag, mae yna densiwn rhwng Mari a Wendy a mi wedi busnes y top ceirios.

Dydw i ddim wedi clywed gair oddi wrthyn nhw. Mae straen yn ein perthynas.

Ac mi rydw i'n mwynhau mynd allan hefo Jaci. I'r Grapes fel arfer. Ond dydw i ddim wedi yfed gormod wedyn. Mae chwydu a gwneud ffŵl ohonof fy hun unwaith yn ddigon.

Mae Dad wedi gwrando o'r diwedd, ac wedi mynd i mofyn trowsus streip a chôt gynffon.

"Byddwch chi'n edrych yn ffab," dywedais.

"Ffab, wir," atebodd. "Doedd dim stop ar geg dy fam a Glenda."

Dydw i ddim yn edrych ymlaen at wisgo'r ffrog biws. Bydda i'n edrych fel clown. Ond does gen i ddim dewis. Mae'r rihyrsal heno, ac mi fydd yn rhaid imi bracteisio cerdded yn urddasol y tu ôl i Glenda a Meira, chwaer Gwyn.

"Brysia," dywedodd Mam. "Neu mi fyddwn ni'n hwyr."

"Be ydy'r ots?" dywedais i o dan fy ngwynt. "Practis ydy o, nid yr un iawn."

Ond roedd Mam a Glenda ar bigau drain, a Dad yn edrych fel petai'n mynd i ffrwydro. Felly bwytais i dipyn bach o swper a rhuthro am yr eglwys y tu ôl i Mam a Glenda.

Roedd pawb yno'n disgwyl ond y gwas priodas.

"Edwin heb gyrraedd eto," meddai Gwyn.

Ych a fi! meddyliais a chael hwyl yn meddwl sut berson oedd rhywun hefo enw fel Edwin. Person hen ffash, hefo traed chwarter i dri a throwsus *half mast*, a sbecs gwaelod pot jam. Ha! Diolch byth mai Meira ydy'r brif forwyn, meddyliais. Doeddwn i ddim yn ffansïo cerdded fraich ym mraich hefo neb o'r enw Edwin!

Roedden ni'n eistedd yno'n siarad pan agorodd drws yr eglwys. Tybed oedd Edwin wedi cyrraedd? Mi drodd pawb i weld.

Yn sydyn, roeddwn i bron â marw o sioc. Tristan /Myrddin oedd o!! Tal, golygus, hefo gwallt du du a llygaid brown, a fi wedi torri ei lens llygad ar y palmant. Triais suddo i mewn i'r sedd.

Ond roedd Gwyn yn cyflwyno pawb. Ac yn symud yn nes ac yn nes cyn cyrraedd ata i. Roeddwn i'n cau fy llygaid ac yn gweddïo baswn i'n diflannu trwy'r llawr.

"A dyma Jan, chwaer Glenda," meddai Gwyn.

Roedd perlau o chwys ar fy nhalcen.

"H-hylo," dywedais i mewn llais bach, bach.

Edrychodd i lawr ei drwyn arna i.

"O," meddai. "Ti!"

"Nabod eich gilydd?" holodd Gwyn braidd yn syn.

"Wedi cyfarfod," meddai Edwin.

Yna ces i hanner gwên ganddo cyn dechrau'r rihyrsal.

Roeddwn i ar dân isio dweud wrth Jaci drannoeth.

"A phwy wyt ti'n meddwl ydy'r gwas priodas?"

"Pwy?" holodd Jaci.

"Edwin!"

Doedd Jaci ddim yn deall.

"Y boi yn y caffi. Ti'n cofio? Y lens llygad?" gofynnais.

"Edwin ydy ei enw?"

"Ydych chi'n teimlo fel gweithio heddiw, tybed?" gofynnodd Miss Thomas – ac roedd gwên ar ei hwyneb.

"Iawn," dywedon ni.

"Mae Miss Thomas mewn hwyliau da iawn heddiw," sibrydais.

"Gwybod pam?" meddai Jaci.

"Pam?" holais.

Ces i bwniad reit dda gan Jaci.

"Victor," meddai hi.

"Victor?" meddwn i'n syn.

"Licio fo."

"Ein Victor ni?"

"Ie."

Edrychais allan drwy'r ffenestr i weld a oedd mochyn yn hedfan yn yr awyr las.

17.

Dydw i ddim yn mynd i ddisgrifio'r briodas, dim ond dweud mai poen oedd pob eiliad yn y ffrog biws. Roedd Edwin yn siarad hefo Meira trwy'r nos, a Geraint yn cadw draw trwy'r amser. Peth ofnadwy ydy pwdu wedi gair o gyngor. Ond mae'r pimpls yn lot gwell erbyn hyn. Efallai ei fod o wedi bod i weld y fferyllydd heb i neb wybod.

Roedd y parti gyda'r nos yn grêt. Y bwyd, y dawnsio – popeth!

Erbyn hynny, roeddwn i wedi newid o'r ffrog biws, a Dad wedi newid o'i drowsus streip a'i gôt gynffon. Mi wisgais y ffrog brynais i yn Cresta. Yr un ddu gwta gwta.

"Hances boced o ffrog," oedd barn Dad pan welodd o hi'n iawn.

"Ia, ond Dad, rydw i'n rêl model ynddi, on'tydw? Yn well na'r ffrog biws!"

Gwenu wnaeth Dad a rhoi ei fraich am fy ysgwyddau am eiliad.

"Wyt siŵr," meddai. "Ti ydy'r ddela yma."

Roedd llygaid Edwin ar y ffrog gwta gwta hefyd.

"Dawnsio?" holodd.

"Iawn," atebais i fel pe na bawn i erioed wedi torri'r lens llygad.

"Wnest ti fwynhau'r briodas?" holodd.

"Do, ond y ffrog biws," atebais.

Chwerthinodd a thynhau ei fraich amdana i. Dylwn i fod yn ecstatig o hapus. Ond rywsut na. Roedd o'n dal a golygus, hefo gwallt du du a llygaid brown, ond doeddwn i ddim yn hapus ofnadwy. Am fod Geraint yn sefyll wrth y wal a golwg drist arno, am wn i. Ac roeddwn i wedi cael digon ar beidio bod yn ffrindiau.

Mi benderfynais.

"Mynd rŵan," dywedais wrth Edwin.

Ac mewn eiliad roeddwn i wedi cerdded trwy'r dawnswyr a sefyll wyneb yn wyneb â Geraint.

"Hei! Nabod fi, Jan drws nesa?" holais yn felys.

"Paid â bod yn ffŵl," atebodd.

"Ti ydy'r ffŵl," atebais i'n gryf. "Pwdu."

"Ti oedd yn busnesu," gwaeddodd Geraint.

"Llyncu mul," dywedais. "Be ydy'r ots am bimpls? Ffrindiau?" gofynnais gan afael yn ei fraich.

Edrychodd i'm llygaid am eiliad cyn gwenu arna i.

"Ffrindiau," cytunodd. "Dawns?"

Aethon ni i ganol y dawnswyr. Dawns araf ramantus!

Roedd Gwyn a Glenda yn dawnsio'n gariadus, a hyd yn oed Mam a Dad wedi cyrraedd y llawr.

Ac wedi'r ddawns, mi eisteddon ni law yn llaw wrth un o'r byrddau bach a siarad fel yn yr hen ddyddiau. Pan oedden ni'n ffrindiau mawr ac yn rhannu popeth.

Ac yn ystod y noson, mi ges i gusan neu ddwy ganddo hefyd. Ac roedd e'n dal yn dynn ac yn fy ngwasgu ato yn gyfeillgar neu efallai'n gariadus, fedrwn i ddim penderfynu'n iawn! Ond doedd dim ots. Roedd yfory gennym ni ac wythnos nesaf a'r wythnos wedyn a Geraint a mi'n ffrindiau unwaith eto.

HELP *GEIRIAU*

A

achos da	good cause
adael (gadael)	to leave
adnabod	to know (a person)
aeddfed	mature
afael yn (gafael)	to take hold of
afon	river
agos	close, near
agosaf	nearest
angen	need
mae angen arnat ti	you need
anghofiais	I forgot
alluog (galluog)	clever
am fore!	what a morning!
amlwg	obvious
anferth	huge
anffodus	unfortunate
annheg	unfair
anobeithiol	hopeless
anrheg	gift
ar draws	across
torri ar draws	to interrupt
ar gael	available
arall	other, another
arbennig	special
archebu	to order
fel arfer	usually
arllwysodd (arllwys)	poured
aros	to stay; to wait; to stop
atyn nhw	for them
awyr	air; sky
awyr iach	fresh air

awyr las	blue sky

B

barn	opinion
beidio bod	not being
beil	bile
beirniadaeth	criticism
bendant (pendant)	emphatic
benfelen (penfelen)	blond
beryglus (peryglus)	dangerous
betia i	I bet
bigau (pigau)	prickles
ar bigau drain [idiom]	on edge
bigog (pigog)	irritable
bishyn (pishyn)	attractive
biws (piws)	purple
blas	taste
ches i ddim blas ar	I didn't enjoy
blêr	untidy
blino	to get tired
wedi blino	tired
wedi blino'n lân	worn out
boddi	to drown
boddais	I drowned
boen (poen)	pain
boi	bloke
braidd	rather
breuddwyd	dream
breuddwydio	to dream
breuddwydiais	I dreamed
brif (prif)	chief
brifo	to be hurt
briodas (priodas)	wedding
morwyn briodas	bridesmaid

briodi (priodi)	to marry
bron	nearly
bron â	almost
bu bron i mi syrthio	I nearly fell
bronnau	breasts
bryd (pryd)	time
busnes	business
dim o'ch busnes chi	none of your business
busnesu	to interfere
bwgan brain	scarecrow
bwniad (pwniad)	nudge
bwriadu	to intend
byd	world
bygwth	to threaten
bygythiais	I threatened
bygythiodd	threatened
byth	never
am byth	for ever
byth bythoedd	absolutely never
byth eto	ever again
dim byth	never
diolch byth	thank goodness
peidiwch byth	don't ever

C

cadw	to keep
cadw draw	to keep away
caled	hard
cam	step
camu	to step
camgymeriad	mistake
cancr	cancer
canlyniadau	results
cannoedd	hundreds
cardiau gwahodd	invitation cards
cariad	love; boyfriend, girlfriend

cas	nasty
ceir	cars
ceirios	cherries
lliw ceirios	cherry-coloured
celwydd	lie
celwyddau	lies
clep	bang
cnoi	to bite
cochi	to blush
cochais	I blushed
cod!	get up!
cof	recollection
colur	make-up
colur llygaid	eye make-up
colli	to lose
credu	to believe
crensian	to crunch
crensian fy nannedd	grinding my teeth
criw	crowd, gang
crynu	to quiver
cur pen	headache
curo	to beat
curo dwylo	to clap
cwmni	company
cwmnïau	companies
o'u cwmpas	around them
cwmwl	a cloud
cwsmer	customer
cwsmeriaid	customers
cwyno	to complain
cwynais	I complained
cyfan	all
y cyfan	the lot
wedi'r cyfan	after all
cyfarch	to greet

cyfarfod	to meet
cyfle	opportunity
cyflog	wage
cyflwyno	to introduce
cymaint	so much
cymryd	to take
cyn bo hir	before long
cynta (cyntaf)	first
cysur	comfort
cysuro	to comfort
cysurodd	comforted
cytuno	to agree

CH

chadw (cadw)	to keep
chochodd (cochi)	blushed
cholur (colur)	make-up
chôt (côt)	coat
côt gynffon	tail coat
chwaith	either
chwifiais (chwifio)	I waved
chwisgi	whisky
chwsmer (cwsmer)	customer
chwydu	to throw up
chwys	perspiration
chwysu	to perspire
chyrraedd (cyrraedd)	to arrive, to reach

D

dafod (tafod)	tongue
dagrau	tears
dal (tal)	tall
dal	to catch, to hold
dal yn dynn	to hold tight
dal i chwilio	still looking for
damwain	accident
dechrau	to start
dechreuais	I started

ar y dechrau	to start with
deg (teg)	fair
deimlo (teimlo)	to feel
deimlad (teimlad)	feeling
del	pretty
densiwn (tensiwn)	tension
dew (tew)	thick
dewis	to choose; choice
dewrder	bravery
dianc	to escape
diawl	devil
dieithr	strange
diferyn	a drop
diflannu	to disappear
diflannodd	disappeared
diflas	bored, boring, glum
digon	plenty; enough
dilledyn	article of clothing
diosg	to take off (clothes)
dipyn (tipyn)	a bit
tipyn o foi	a bit of a lad
o dipyn i beth	gradually
disgwyl	to expect; to wait
disgyn	to drop
diwedd	end
o'r diwedd	at last
dos ag	take
drannoeth (trannoeth)	next day
dringo	to climb
drist (trist)	sad
dristwch (tristwch)	sadness
droi (troi)	to turn
fe drois	I turned
mi drodd	turned

drwm (trwm)	heavy
drych	mirror
dwlu ar	to dote on
dwsinau	dozens
dwtio (twtio)	to tidy
dwyn	to steal
dychmygu	to imagine
dymer (tymer)	temper
dyna beth maen nhw dda	that's what they're for

DD

ddal (dal)	to catch
ddathlu (dathlu)	to celebrate
ddechrau (dechrau)	to start
ddela (delaf)	prettiest
ddewr (dewr)	brave
ddiflas (diflas)	bored, boring
ddiod (diod)	drink
ddisgrifio (disgrifio)	to describe
ddiwedd (diwedd)	end
ddwyn (dwyn)	to steal
wedi'i ddwyn	stolen
ddynes (dynes)	woman

E

efo	gyda, with
egluro	to explain
eglurodd	explained
eiliad	second, moment
emosiynol	emotional
enfawr	huge
yn enwedig	especially
er	although
er mwyn	for the sake of; in order to
erbyn hyn	by now

erbyn hynny	by then
erbyn iddi orffen	by the time she finished
yn erbyn	against
ers	since
estynnodd (estyn)	extended
eto	again; yet
faint o amser eto?	how much longer?
ewinedd	fingernails

F

falch (balch)	glad
fan'ma	here
fan'na	there
fargen (bargen)	bargain
farnais	varnish
farw (marw)	to die
fedra i ddim	I can't
fedrwn i ddim	I couldn't
felys (melys)	sweet
fenthyg (benthyg)	to borrow
fenthyca (benthyca)	to borrow
o flaen	in front of
o'i flaen	in front of him
flew (blew)	hair
flin (blin)	sorry
mae'n flin gen i	I'm sorry
forwyn (morwyn)	bridesmaid
morwyn briodas	bridesmaid
freuddwydiol (breuddwydiol)	dreamy
frysiog (brysiog)	hasty
fusneslyd (busneslyd)	nosey
fwy (mwy)	more
fygythiol (bygythiol)	threatening
fynegi (mynegi)	to express
fythgofiadwy (bythgofiadwy)	unforgettable

FF

ffair	fair
fel ffair [idiom]	really hectic
ffansïo	to fancy
fferyllydd	chemist
fflachio	to flash
fflamgoch	bright red
ffraeo	to quarrel
ffrog	frock
ffrogiau	frocks
ffrwydro	to explode
ffwdan	fuss

G

gacwn (cacwn)	wasps
gacwn wyllt [idiom]	furious
gadewch imi	let me
gadw (cadw)	to keep, to reserve
Gaeredin (Caeredin)	Edinburgh
gafael	to grasp
gair	word
gair o gyngor	a word of advice
ar y gair	at that
yr un gair	a single word
gallwn ni	rydyn ni'n gallu, we can
gamais (camu)	I stepped
gan ddal	holding
gan wenu	smiling
ganodd (canu)	rang
ganolfan (canolfan)	centre
canolfan chwaraeon	sports centre
gariad (cariad)	love; boyfriend, girlfriend
gariadus (cariadus)	loving
garreg (carreg)	stone
carreg y drws	door step

garu (caru)	to love
geiriau	words
gelwydd (celwydd)	lie
celwydd i gyd	all lies
gelli di	rwyt ti'n gallu, you can
gên	jaw
giang	gang
giât ffrynt	front gate
gloff (cloff)	lame
glòs (clòs)	close
glust (clust)	ear
clustlysau	earrings
gobaith	hope
gobeithio	I hope; to hope
gobennydd	pillow
gofalus	careful
goleuadau	lights
golur (colur)	make-up
golwg	look
golygus	good-looking
golli (colli)	to lose
ar goll	lost
gorau	best
gorchmynnodd	ordered
gôt (côt)	coat
grac (crac)	angry
grisiau	stairs
grynu (crynu)	to shiver
gusan (cusan)	kiss
gwaeddais (gweiddi)	I shouted
gwaeddodd	shouted
gwael	bad
gwaelod	bottom
gwag	empty
gwahaniaeth	difference

gwan	weak
gwas priodas	best man
o gwbl	at all
gweddillion	remnants
gweddïo	to pray
gweiddi	to shout
gwela i (gweld)	I see
gwell	better
gwên	smile
gwenu	to smile
gwenais	I smiled
gwenodd	smiled
gwenu wnaeth Dad	Dad smiled
gwichiais (gwichian)	I squeaked
gwirion	stupid
gwisgo	to wear; to put on
o gwmpas	around
gwraig	wife
gwrid	blush
gwrthdaro	to collide
gwta (cwta)	short
gwthio	to push
gwydr	mirror
gwylio	to watch
gwylltio	to annoy
gwyno (cwyno)	to complain
gychwyn (cychwyn)	to start
gyda'r nos	in the evening
gyfan (cyfan)	whole
gyfeillgar (cyfeillgar)	friendly
gyfeiriad (cyfeiriad)	direction
gyngor (cyngor)	advice
gymera i (cymryd)	I'll take
gymeriadau (cymeriadau)	characters

gynffon (cynffon)	tail
gynta	first
gyrraedd (cyrraedd)	to arrive
cyrhaeddodd	arrived
gytunodd (cytuno)	agreed

NG

ngardd (gardd)	garden
ngên (gên)	jaw
nghalon (calon)	heart
cododd fy nghalon	I cheered up
ngheg (ceg)	mouth
ngheseiliau (ceseiliau)	armpits
nghluniau (cluniau)	thighs
nghur (cur)	
cur pen	pen tost, headache
nghyfle (cyfle)	chance
ngobeithion (gobeithion)	hopes
ngorau (gorau)	best
gwneud fy ngorau glas [idiom]	do my very best
ngwasgu (gwasgu)	to squeeze
ngwefusau (gwefusau)	lips
ngwynt (gwynt)	breath
o dan fy ngwynt	under my breath

H

hances boced	pocket handkerchief
hanner pan [idiom]	mad
harestio (arestio)	to arrest
hawdd	easy
heb	without
heb gyrraedd eto	not arrived yet
hefo	with
hefo'i gilydd	together

heibio	past
heini	fit
hel clecs	to gossip
help	help
does gen i ddim help	I can't help it
henoed	old people
cartref henoed	old people's home
hewinedd (ewinedd)	fingernails
hir	long
hochr (ochr)	side
holi	to ask
holais	I asked
holodd	asked
hollol	entirely
honno	that
hunanol	selfish
hwnnw	that
hwyl	fun
hwyl!	cheerio!
hwyl fawr!	goodbye!
sut hwyl?	how are things?
hwyliau da	good mood
hyder	confidence
hyderus	confident
hŷn	older
hynny	that
hysgwyddau (ysgwyddau)	shoulders
codi'i hysgwyddau	shrug

I

iawn	very; OK; properly
boi iawn	good bloke
y dre yn iawn?	town OK?
gwybod yn iawn	to know very well
yr un iawn	the real one
injans	engines

isio	eisiau, want

J

jocian	to joke

L

lais (llais)	voice
leiaf (lleiaf)	least
o leiaf	at least
lens llygad	contact lens
lewygu (llewygu)	to faint
licio	hoffi, to like
liw (lliw)	colour
longyfarch (llongyfarch)	to congratulate
lwcus	lucky

LL

llai	less
llais	voice
llawn	full
lleidr	thief
lleisiau	voices
llenwi	to fill
llifo	to flow
lliw ceirios	cherry-coloured
lliwgar	colourful
llofft	upstairs
llond ceg	mouthful
llond ceg ges i	I got a mouthful
llongyfarch	to congratulate
llongyfarchiadau	congratulations
llosgi	to burn
llusgo	to drag
llwybr	path
llygadu	to eye
llym	strict
llyncu	to swallow

llyncu mul [idiom]	to sulk

M

maddau	to forgive
man	place
ym mhob man	everywhere
marchogaeth	to ride
marw	to die
meddai	said
meddwn i	I said
meddwl	to think
meddyliais	I thought
methu	unable to
mhen (pen)	head
ar fy mhen fy hun	on my own
mhen ôl (pen ôl)	backside
mhenderfyniad (penderfyniad)	decision
mi awn ni	we'll go
minlliw	lipstick
mlaen (blaen)	front
o fy mlaen i	in front of me
moch	pigs
mofyn	to fetch
mol (bol)	stomach
morthwyl	hammer
morthwylion	hammers
morynion	bridesmaids
mreuddwyd (breuddwyd)	dream
mronnau (bronnau)	breasts
mwg	smoke
mwy	more
mynd â	to take
mynediad	entrance
mysedd (bysedd)	fingers
mywyd (bywyd)	life

N

nabod (adnabod)	to know (a person)
nain	mam-gu, grandmother
nannedd (dannedd)	teeth
neidio	to jump
neidiais	I jumped
neidiodd	jumped
nenfwd	ceiling
nerfus	nervous
nes	closer; until
yn nes ac yn nes	closer and closer
neu beidio	or not
newid	to change
newidiais	I changed
stafell newid	changing room
newydd fynd	just gone
nhaflu (taflu)	to throw
nhafod (tafod)	tongue
nhalcen (talcen)	forehead
nid bod gen i ddim yn erbyn tafarn	not that I've got anything against a pub
niwl	fog
nôl	to fetch
nymuniad (dymuniad)	wish

O

obeithiol (gobeithiol)	hopeful
ochneidiais (ochneidio)	I groaned
oed	age
dan oed	under age
dros oed	over age
hyd yn oed	even
ofalus (gofalus)	careful
ofn	fear

ces i ofn	I had a fright
ofni	to be afraid
ola	last
olew	oil
orau (gorau)	best
oriau	hours
ots	difference
be ydy'r ots?	what does it matter?
doedd dim ots gen i	I didn't care
oes ots gen ti?	do you mind?

P

palmant	pavement
pam lai?	why not?
pawb	everyone
pe	if
fel petai	as if he were
fel petawn i	as if I were
fel pe na bawn i erioed	as if I'd never
peidio â	not to
peiriant car	car engine
penderfynu	to decide
penderfynais	I decided
penderfyniad	decision
penderfynol	determined
pen	head
pen tost	cur pen, headache
ar eich pen eich hun	by yourself
pen ôl	backside
penlinio	to kneel
perlau	pearls
persawr	perfume
perthynas	relationship
perygl	danger
dim perygl	no fear
pesychu	to cough

pesychodd	coughed
pinsio	to pinch
pinsiad	a pinch
piws	purple
poen	pain
poeni	to worry
prif	chief
priodas	wedding
priodi	to get married
profi	to prove
profiad	experience
prowla	to prowl
pryd	time
ar yr un pryd	at the same time
mewn pryd	in time
pwdu	to sulk
pwysais (pwyso)	I leaned

PH

phobman (pob man)	everywhere

R

rai (rhai)	any
ramantus (rhamantus)	romantic
rannu (rhannu)	to share
ras	race
rasys ceffylau	horse races
rasio	racing
reidia'r ffŵl	ride, you fool
reit	very, really
rêl	real
roi (rhoi)	to give, to put
rŵan	nawr, now
rywsut (rhywsut)	somehow

RH

rhag	so as not to
rhag ofn	in case
rhag ofn imi gael	in case I got

rhamantus	romantic
rhannu	to share
rheol	rule
rheoli	to control
rheolwr	manager
rheolwraig	manageress
rhes	row, line
rhestr	list
rhestrau	lists
rhestr briodas	wedding list
rhesymu	to reason
rhoi	to give, to put
rhuban	ribbon
rhuo	to roar
rhuodd	roared
rhuthro	to rush
rhuthrais	I rushed
rhwng	between
rhybuddio	to warn
rhybuddiodd	warned
rhyfedd	strange

S

safle adeiladu	building site
sbeitlyd	spiteful
sbio ar	to look at, stare at
sbiodd	looked
sboncen	squash
sedd	seat
sedd gefn	back seat
sefais (sefyll)	I stood
seibiant	break, rest
seren	star
sgwrs	conversation, chat
sgwrsio	to chat, talk
sialens	challenge
siapus	shapely

siarada i	I'll talk
siaradwn ni	we'll talk
siaradus	talkative
sibrwd	to whisper
sibrydais	I whispered
sibrydodd	whispered
siom	disappointment
siomedig	disappointed
siort	curt
siwmperi	jumpers
siwt gynffon	tail suit
smalio	to pretend
socian	to soak
soseri	saucers
sownd	stuck
straen	strain
stumog	stomach
styfnig	stubborn
suddo	to sink
sur	sour
swydd	job
sych	dry
sylweddoli	to realise
sylwi	to notice
sylwi arna i	to notice me
syllu	to stare
symud	to move
syn	surprised
syrthio	to fall
syrthiodd fy ngên	my jaw dropped
syth	immediately
syth bin [idiom]	immediately

T

taid	tad-cu, grandfather
tamaid	a bit

tan	until
tanllyd	fiery
taranu	to thunder
teimlo	to feel
teimlais	I felt
tew	fat, thick
tost	toast
tost	ill
pen tost	cur pen, headache
trannoeth	next day
fore trannoeth	next morning
trefnu	to make arrangements
trefniadau	arrangements
tro	time
un tro	once
y tro cynta	the first time
y tro nesa	next time
trodd (troi)	turned
twtio	to tidy
tybed	I wonder
tynnodd rhywun fy nillad	someone took off my clothes
tyrd	dere, come
tywyll	dark
tywysog	prince
TH	
thaflu (taflu)	to throw
thost (tost)	toast
thrio (trio)	to try
thusw (tusw)	bouquet
thynhau (tynhau)	to tighten
thynnu (tynnu)	to pull
U	
uchelgais	ambition
uffern	hell

uffern dân!	bloody hell!
unig	only; alone
unig un	only one
yn union	exactly
unrhyw	any
unrhyw beth	anything
urddas	dignity
urddasol	dignified
uwchben	above
uwch fy mhen	above my head
W	
wedyn	after, afterwards, then
y bore wedyn	next morning
wela i (gweld)	I'll see
well (gwell)	better
well i ni fynd	we'd better go
wên (gwên)	smile
yn wên i gyd	all smiles
wenu (gwenu)	to smile
gwenodd	smiled
wir	indeed
wisgo (gwisgo)	to wear
gwisgais	I put on
wn i	I know
am wn i	I suppose
wnaeth hi ddim gwrando	she didn't listen
wydraid (gwydraid)	glassful
wynebu	to face
wynt (gwynt)	breath
Y	
ychydig	a few; a little
ymarfer	to practise
ymddiheuro	to apologise
ymddiried	to trust

ysgafn	light
ysgariad	divorce
ysgwyd llaw	to shake hands
ysgwyddau	shoulders